Cenicienta y los ratones perdidos

PaRragon

Bath · New York · Singapore · Hong Kong · Cologne · Delhi
Melbourne · Amsterdam · Johannesburg · Shenzhen

Edición publicada por Parragon en 2012

Parragon Books Ltd
Chartist House
15-17 Trim Street
Bath BA1 1HA, UK
www.parragon.com

Traducción: Míriam Torras para Equipo de Edición
Redacción y maquetación: Equipo de Edición, Barcelona

ISBN 978-1-78186-284-1

Impreso en China/Printed in China

Cenicienta y los ratones perdidos

Bath · New York · Singapore · Hong Kong · Cologne · Delhi
Melbourne · Amsterdam · Johannesburg · Shenzhen

Bienvenido a tu aventura en 3D de Princesas.

**Mira a Gus, el travieso ratón.
¡Ponte tus lentes 3D y te parecerá
que corretea de verdad!**

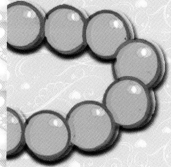

Descubre el mágico cuento de
Cenicienta y los ratones perdidos,
y verás cómo los sueños se hacen realidad.

Cenicienta y los ratones perdidos de E.C. Llopis
Ilustraciones de IBOIX y Michael Inman

Las estrellas centelleaban en el cielo despejado de la noche cuando el Príncipe se llevó a Cenicienta fuera para bailar.

–¿Tienes frío, querida? –le preguntó el Príncipe.

–Solo un poco, pero...

Sonriendo, el Príncipe mostró una caja que había escondido bajo un banco. En su interior había un precioso abrigo.

–¡Oh, qué hermoso! –exclamó Cenicienta–, ¡gracias!

A la mañana siguiente, Cenicienta enseñó su abrigo a la ratoncita Susy.

–¿Verdad que el Príncipe es muy amable conmigo? –le dijo.

–¡Mucho-o! ¡Mucho-o! –asintió Susy, acariciando con su hocico el caliente abrigo.

Cenicienta no se había dado cuenta de que Susy acababa de regresar del exterior. A pesar de que la habitación estaba calentita, ¡la ratoncita tiritaba!

En ese preciso momento, Gus y Jaq subieron correteando
por el tocador de Cenicienta.

–¡Cenicienta! ¡Cenicienta! –parlotearon.

Cenicienta no los oyó porque debía encontrarse con el Príncipe y tenía prisa.
¡No sabía que ellos también tenían frío!

Poco después, otros ratones entraron tiritando a la habitación. Se sentaron frente a la chimenea hasta que los dientes les dejaron de castañetear. ¡Los pobres ratoncitos habían pasado la noche en el helado desván! Esperaban que Cenicienta les dejara quedarse en la cálida habitación, pero había un problema...

–¡Fuera de aquí! –La cruel ama de llaves irrumpió en la habitación y empezó a cazar a los ratones–. ¡Están ensuciando todo el castillo! –gritó–. ¡Le diré al jardinero que se deshaga de ustedes!

Esa era la razón por la cual los ratones estaban congelados y hambrientos: ¡se quedaban en el desván para esconderse de ella!

Los ratones se abrieron paso hasta el frío desván porque no sabían dónde más podían ir.

—Cenicienta... —suspiró Gus. ¡Necesitaban su ayuda!

De repente, ¡BAM!, el jardinero encerró de golpe a todos los ratones en jaulas y se los llevó.

–¡Ahora échelos fuera! –gritó el ama de llaves–. ¡Llévelos lo suficientemente lejos como para que no puedan regresar nunca más!

Desde luego, Cenicienta no tenía
ni idea de lo que había sucedido mientras paseaba con el Príncipe
por los jardines del castillo.

   –¡Vamos a los establos! –dijo de pronto Cenicienta–. Podemos
saludar a los caballos.

   –¿Y salir a dar una vuelta? –preguntó esperanzado el Príncipe.

   –¡Qué maravillosa idea! –le contestó Cenicienta.

Poco después, Cenicienta y el Príncipe cabalgaban por unos campos cercanos al castillo. Vieron que el jardinero hacía algo en uno de ellos.

–¡Hola! –exclamó el Príncipe–. ¡Hace demasiado frío como para trabajar aquí fuera!

Pero el jardinero no pareció oírlo.

Cuando el Príncipe y la Princesa
regresaron a los establos, el Príncipe
preguntó:
—¿No crees que el jardinero estaba extraño?
—Tal vez estaba distraído —respondió pensativa Cenicienta—.
Tiene que ser muy duro trabajar cuando la tierra está congelada.

¡Pero el jardinero no estaba distraído con su trabajo, sino que estaba preocupado por los ratones! Sabía que se congelarían si los dejaba en el campo.

    –Bien –les dijo a sus ayudantes–. No le cuenten nada al ama de llaves, pero quiero que lleven a estos pobres ratones a los establos.

    Así que llevaron a los agradecidos ratones a su nuevo hogar y les dieron de comer.

Los ratones se acurrucaron juntos en el establo, pero a medida que se acercaba la noche tenían más y más frío. Al final, los caballos les permitieron enroscarse entre sus crines para que estuvieran calentitos.

–¡Qué bien…! –exclamó Gus entre bostezos.

Mientras tanto, Cenicienta empezaba a
preocuparse. ¿Dónde estaban sus amiguitos?
    –¡Jaq y Gus! –pensó de repente–. Me
querían contar algo esta mañana, pero yo
tenía prisa porque debía encontrarme con
el Príncipe. Me pregunto si necesitaban
decirme algo…

–No te preocupes, querida. Los ratones han encontrado un nuevo amigo –le dijo el Príncipe y luego le explicó a Cenicienta lo que había hecho el jardinero.

Cenicienta y el Príncipe fueron juntos a los establos para agradecer al jardinero su ayuda. Luego Cenicienta fue a despertar a los ratones, que estaban bien acurrucados en las crines de los caballos.

Unas cuantas noches después celebraron un magnífico baile con el jardinero como invitado de honor. La cruel ama de llaves se quedó pelando papas en la cocina. Nunca más volvería a molestar a los ratones. Mientras tanto, ¡los ratones disfrutaron de un banquete y los caballos recibieron más manzanas que nunca!

Observa a todos los fieles amigos de Cenicienta.
¿Puedes relacionar a cada uno con su sombra?

¿Recuerdas cuando Cenicienta se fue del baile con tanta prisa que perdió su zapato de cristal? Ayuda al Príncipe a atravesar este laberinto para llegar hasta Cenicienta. ¡Procura no encontrarte con Anastasia y Drizella por el camino!

INICIO

FINAL

Solución:

Mira a Cenicienta con su precioso vestido de baile.
¿Puedes encontrar las 4 diferencias entre estos dos dibujos?

Solución:

¿Qué línea lleva a Cenicienta hasta el Hada Madrina?

¡La pobre Cenicienta tiene mucho trabajo que hacer!
Echa una mano a Gus y Jaq para que atraviesen el laberinto y puedan ayudar
a Cenicienta a terminar sus tareas. ¡No te topes con Lucifer por el camino!

INICIO

FINAL

Solución:

Cenicienta y sus amigos están haciendo un vestido para el baile.
¿Cuántos carreteles de hilo rosa se esconden en este dibujo?

Gus y Jaq han organizado una maravillosa velada para Cenicienta.
¿Sabes qué piezas del rompecabezas corresponden
a las partes que faltan de la imagen?